Tá mo chuid ceall ag fás

Kate Rowan

Katharine McEwen
a mhaisigh

Máire Uí Mhaicín
a rinne an leagan Gaeilge

G AN GÚM
Baile Átha Cliath

'A Mham,' a bhéic Eoin,
'táim greamaithe. Tá mo gheansaí
tar éis crapadh!'

'Níl, ná é,' arsa Mam.

'Tusa atá imithe i méid.

Seo! Bainimis díot an geansaí,

agus féachaimis

ar chairt na hairde.'

Sheas Eoin le hais na cairte.

'Ó, féach!' ar seisean,
'táim beagnach chomh hard
leis an dineasár!'

'A thiarcais!' arsa Mam. 'Tá tú ceithre cheintiméadar
níos airde ná mar a bhí tú an uair dheireanach.'

'Tá a fhios agam cén fáth a bhfuilim ag fás go tapa,'
arsa Eoin. 'Na cleachtaí gleacaíochta
sa halla spóirt is cúis leis.'

Rinne Mam meangadh gáire. 'B'fhéidir
gur chuidigh siad beagáinín, ach i ndáiríre,
tá gach ball díot ag fás –
na **cnámha**, na **matáin**
agus an **craiceann**.'

'Tá a fhios agam cén gnó atá
ag na cnámha, ag na matáin
agus ag an gcraiceann,'
arsa Eoin.

'Fráma nó creatlach
is ea na cnámha.
Murach iad bheinn ar nós
pubaill gan chuaillí.

Cuireann na matáin
ar mo chumas gluaiseacht.
Agus cosnaíonn an craiceann
mo cholainn ar fhrídíní
agus a leithéidí.'

'Tá an ceart agat,'
arsa Mam. 'Ach anois –
cuirimis slacht ar an seomra
roimh an mbricfeasta.'

'Tá go maith,' arsa Eoin.
'Ach conas a fhásann
na cnámha, na matáin
agus an craiceann?
An síneann siad
mar a dhéanann
banda rubair?'

'Ní shíneann,' arsa Mam.
'Tá do cholainn déanta de
nithe bídeacha ar a dtugtar
cealla. Nuair a bhíonn tú
ag fás bíonn
na **cnámhchealla** ag iolrú,
bíonn na **matánchealla**
ag iolrú agus bíonn ...'

12

'Tá a fhios agam!'
a bhéic Eoin. 'Bíonn
na **craiceannchealla**
ag iolrú!'

'Tá sé sin cruinn ceart,' arsa Mam.
'Tá a lán cineálacha éagsúla ceall
i do cholainn – thart ar dhá chéad –
agus tá cruth ar leith ar gach cineál acu.

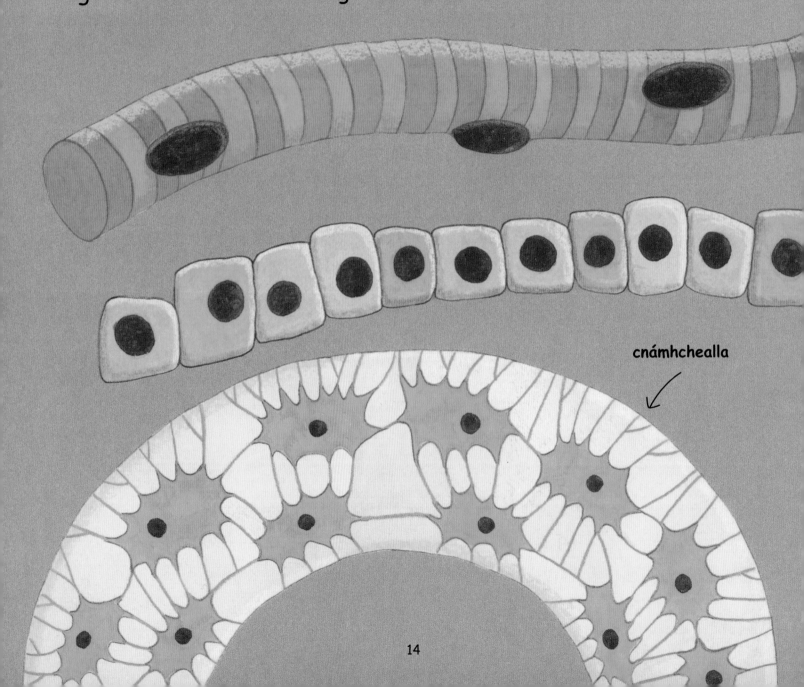

cnámhchealla

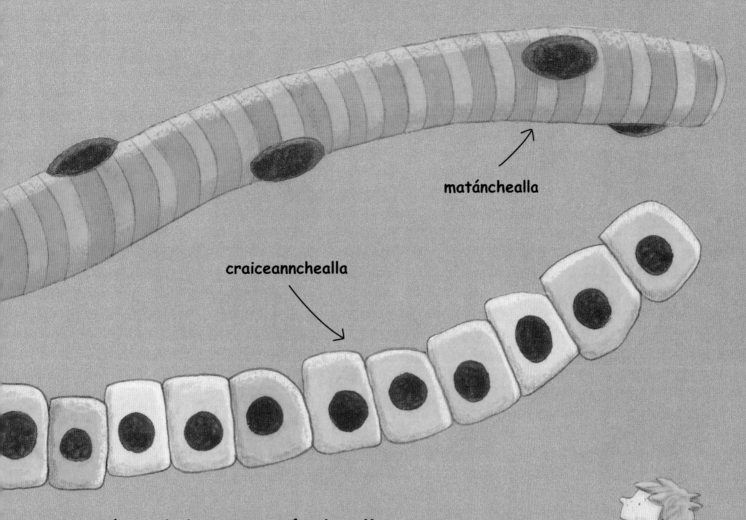

matánchealla

craiceannchealla

Tá cuid de na **matánchealla**
fada agus tá stríocaí orthu.
Ciúbach atá cuid de
na **craiceannchealla**.
Cruth spíceach atá ar chuid de
na **cnámhchealla**.'

'Ach,' arsa Eoin, 'cén chaoi
a bhfuil a fhios agat?
An féidir iad
a fheiceáil?'

micreascóp

'Ní féidir iad a fheiceáil
le do shúile cinn,'
arsa Mam.
'Tá siad róbhídeach.
Ní mór duit
micreasóp a úsáid
chun iad a scrúdú.'

Rinne Mam meangadh agus lean uirthi.

'Ach tá cill amháin atá
an-éasca a fheiceáil –
buíocán uibhe.
Le fírinne, is é
an buíocán uibhe
an chill is mó
ar domhan!'

17

Thóg Mam seangheansaí Eoin ina lámha.

'Tá do chuid **ceall** cosúil le lúba an gheansaí seo,' ar sí. 'Tá gach lúb an-bheag, ach nuair a chuirtear le chéile iad is féidir rud mór a dhéanamh díobh.'

18

'Cosúil le brící tógála,' arsa Eoin.

'Tá an ceart agat,' arsa Mam.
'Ach amháin go bhfuil
do chuid ceall i bhfad níos lú
ná brící nó lúba.'

'Tá a fhios agam,' arsa Eoin.
'Caithfidh go bhfuil
na milliúin agus na milliúin
ceall ionam.'

19

'Na BILLIÚIN agus na BILLIÚIN' arsa Mam.
'Tá thart ar dheich míle milliún ceall
in ordóg do láimhe deise.'

Stán Eoin ar a ordóg.

'Ach, ní thuigim fós, an chaoi

a ndéanann mo cholainn breis ceall.

Cad as a dtagann siad?'

'Bhuel,' arsa Mam, 'tá na cealla iontach cliste.

Déanann siad cóipeanna díobh féin.

I dtosach fásann an chill

go mbíonn sí an-mhór.

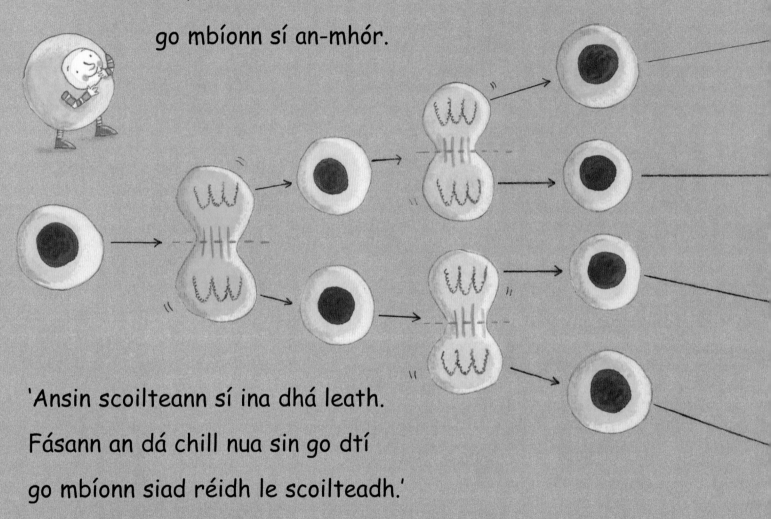

'Ansin scoilteann sí ina dhá leath.
Fásann an dá chill nua sin go dtí
go mbíonn siad réidh le scoilteadh.'

'Agus ansin bíonn ceithre chill ann,'
arsa Eoin. 'A dó faoina dó sin a ceathair.'

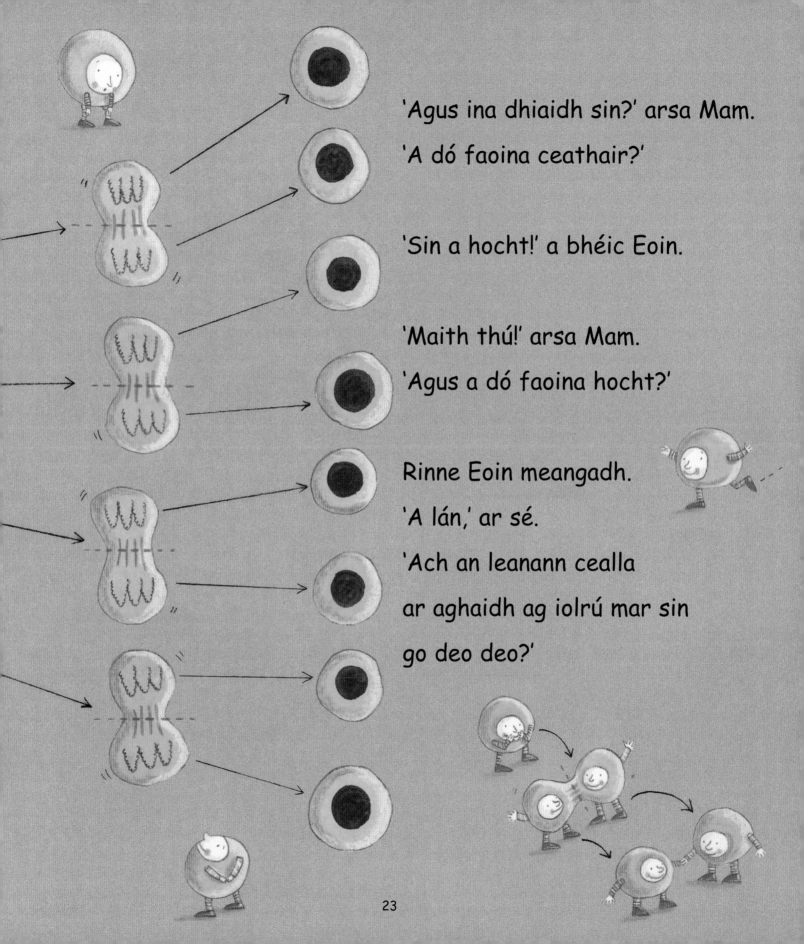

'Agus ina dhiaidh sin?' arsa Mam.

'A dó faoina ceathair?'

'Sin a hocht!' a bhéic Eoin.

'Maith thú!' arsa Mam.

'Agus a dó faoina hocht?'

Rinne Eoin meangadh.

'A lán,' ar sé.

'Ach an leanann cealla
ar aghaidh ag iolrú mar sin
go deo deo?'

'Leanann cuid acu,' arsa Mam.
'Bíonn cineálacha áirithe ceall
i gcónaí á n-idiú agus ag fáil bháis,
agus ní mór don cholainn
cealla nua a chruthú ina n-áit.

'Cailleann tú na milliúin
craiceanncheall gach lá.
Titeann cuid acu nuair
a chuimlíonn do chuid éadaigh leo,
nó nuair a bhíonn tú do do ní féin.
Titeann cuid eile gan cabhair ar bith
uait!'

'Ach ní leanfaidh do chuid ceall uile ag iolrú

go deo deo,' arsa Mam. 'Nó leanfá ar aghaidh

ag fás go deo. Nuair a bheidh tú thart ar sé

nó seacht mbliana déag d'aois,

tiocfaidh moill ar na cnámhchealla

agus stopfaidh siad ag déanamh

cealla nua. Uaidh sin amach

ní fhásfaidh tú puinn.'

'An bhfuil moill tagtha ar do chuidse ceall?' a d'fhiafraigh Eoin.

Rinne Mam gáire.
'Bhuel, is cinnte nach bhfuil mé ag éirí níos airde!'

'Ba bhreá liom dá leanfadh mo chuid ceall ag fás go deo,' arsa Eoin.
'Ansin bheinn chomh hard le *Tyrannosaurus Rex*!'

26

'Brostaigh ort anois agus cabhraigh liom na bréagáin a chur i dtaisce. Ní mór dúinn ár mbricfeasta a ithe,' arsa Mam. 'Caithfear na cealla a chothú chun go mbeidh siad in ann a gcuid oibre a dhéanamh i gceart!'

Agus dhún sí na tarraiceáin go léir.

'A MHAM!' arsa Eoin, agus é ag sciotaíl.

'Tá tú ag pléascadh trí do threabhsar!'

Eoin

cealla